Selma Noort

Hij ligt nog in die vrachtwagen!

Tekeningen van Hélène Jorna

Zwijsen

LEESNIVEAU

		ME	ME	ME	ME	ME		
AVI	S	3	4	5	6	7	P	
CLIB	S	3	4	5	6	7	8	P

zoektocht | geheim

Toegekend door Cito i.s.m. KPC Groep

Boeken met dit vignet zijn op niveaubepaling geregistreerd en gecontroleerd door KPC Groep te 's-Hertogenbosch.

1e druk 2007
ISBN 978.90.276.7253.7
NUR 282

Illustraties: Hélène Jorna
Uitgeverij Zwijsen B.V. Tilburg

Voor België:
Zwijsen-Infoboek, Meerhout
D/2007/1919/418

Inhoud

......

1. Toevallig

'Ik zie, ik zie wat jij niet ziet, en het is stomvervelend!' Papa zucht diep en remt af.
Lars kijkt op van zijn gameboy.
'Een file!' jammert hij. 'O, nee! En ik stik van de dorst en we hebben niks te drinken bij ons!'

De auto staat stil. De zon brandt op het dak.
Papa rommelt in het kastje bij het stuur.
'Aha! Pepermunt!' zegt hij. 'Wil jij er één? Het helpt bij een droge mond.'
Lars knikt en steekt een pepermuntje in zijn mond. Zuigend kijkt hij uit het raam naar de vrachtwagen voor hem. Er staat iets achterop.
'SJAAK VAN BUREN – VOOR AL UW HEKWERK – SCHIEDAM,' leest Lars hardop.
Papa hoort het niet. Hij is in gedachten en neuriet zacht met de radio mee.
Van Buren – die naam doet Lars denken aan de vakantie. Dat is alweer zes weken geleden. Toen stond hij op de camping naast een meisje dat Lena heette. Een heel leuk meisje.

Lars voelt dat hij nu nog een kleur krijgt, zó leuk was ze.
'Pap?' vraagt hij. 'Weet je nog, Lena?'
Papa schiet in de lach. 'Dat meisje van de camping? Dat leuke meisje met die staartjes? Jij was stapelgek op haar!'
Lars geeft zijn vader een duwtje. 'Lena kwam ook uit Schiedam,' zegt hij. 'En volgens mij was haar achternaam Van Buren.'
Papa kijkt nu pas echt naar de achterkant van de vrachtwagen.
'Nou zeg! Dat is ook toevallig!' roept hij.
'Ik heb toen met de vader van Lena staan praten. En je raadt nooit hoe die heet: Sjaak! En hij vertelde me dat hij hekken verkocht!'
Ze kijken weer naar de achterkant van de vrachtwagen. Iemand heeft "VIES" met zijn vinger in het stof geschreven.
'Er staat ook een 06-nummer bij,' zegt Lars.
'Pak mijn mobiel maar.' Papa grinnikt.
Lars stopt zijn gameboy in zijn broekzak.
Hij pakt papa's mobiel.
'Wat moet ik zeggen?' vraagt hij.
'Je zegt gewoon: "Met Lars. Bent u de vader van Lena?" Ik lees het nummer wel voor.'
Lars drukt de nummers in die papa opnoemt.

Dan drukt hij op het groene knopje.
Tuuut, tuuut, tuu...
'Sjaak van Buren!'
Lars schrikt ervan.
'Ik ... eh ... ik ...'
'Ja, hallo?'
'Wij ... wij staan achter u in de file,' stamelt Lars.
'Hè, watte?' vraagt Sjaak verbaasd.
'Met wie spreek ik? Hallo?'

2. Vooruit maar

Papa neemt het mobieltje over van Lars.
'Ik sta achter je in de file!' roept hij lachend. 'Je buurman van de camping, Dries! En mijn zoon Lars, het vriendje van Lena!'
'Het is niet waar!' roept Sjaak uit. 'Hoe is het mogelijk!'
Lars ziet een gezicht in de spiegel van de vrachtwagen. Iemand kijkt naar hun auto.
Het is Lena.
'Lena is er ook bij!' zegt Lars blij.
'Ik denk dat we hier nog wel even vast staan,' zegt papa in zijn mobiel.
'Hier voor me stappen de mensen al uit hun auto,' zegt Sjaak.

De deur van de vrachtwagen gaat open.
Lena stapt uit.
Ze heeft nog steeds staartjes. En sproeten. En ze lacht nog net zo leuk!
Lars' hart begint te bonken.
'Mag ik er ook uit?' vraagt hij.

‘Eigenlijk mag het niet,’ zegt papa.
Lars kijkt om zich heen.
Overal staan mensen. Ze drinken water uit flessen.
‘Maar iedereen doet het toch,’ gaat papa verder.
‘Dus vooruit maar.’
Lena staat al bij hun auto.
‘Hoi Lars!’ roept ze door het raam.
Lars maakt de deur open.
‘Hoi!’ zegt hij. ‘Ik las jullie naam op de auto.’
Hij stapt ook uit.
‘Balen, die file!’ zegt hij stoer. ‘En ik heb onwijs veel dorst. We hebben niks te drinken bij ons in de auto.’
‘Wij wel,’ zegt Lena. ‘Wij hebben een koeltas vol frisdrank bij ons. Wil je een blikje sinas?’
Sjaak is ook uitgestapt. Lachend schudt hij papa’s hand.
‘Hoe gaat het met je?’ vraagt hij.
De mannen beginnen te praten.
Lars loopt met Lena mee. Hij klimt naast haar in de vrachtwagen. De deur laten ze open.
Lena maakt de koeltas open. Lars kijkt rond. Er hangt een kleine voetbal aan de spiegel. Overal ligt troep. Papier en snoepjes, lege blikjes en stripboeken.

COLA

'Ga je vaak met je vader mee?' vraagt hij.
'Alleen in de vakantie,' zegt Lena.
Ze geeft Lars een heerlijk koud blikje sinas.
Lars trekt het open. Gulzig neemt hij een grote slok.
'Die stripboeken lees ik onderweg,' vertelt Lena.
'En ik neem mijn gameboy ook altijd mee, want soms is het wel saai. Vooral als we echt ver weg moeten. Of als we in de file staan. Alleen vandaag is dat niet saai!'
Ze lacht naar Lars.
'Ik heb de mijne ook bij me!' Lars trekt zijn gameboy uit zijn broekzak.
Even later zitten ze er samen overheen gebogen.
Net als op de camping. Alsof ze elkaar nog elke dag zien.

Ineens begint iedereen in te stappen.
Een paar auto's gaan langzaam rijden.
Papa rent naar de vrachtwagen.
'Kom Lars! Snel! We gaan weer rijden!'
Lars springt uit de vrachtwagen.
'Bedankt voor de sinas! Dag Lena!'
Hij holt achter papa aan naar de auto en gaat gauw zitten.
Sjaak stapt in zijn vrachtwagen. Hij steekt zijn

hand nog op.
'De groeten thuis. Tot ziens!' roept hij.
Papa en Lars zwaaien.
Even later rijden alle auto's weer.

Het is avond. Lars ligt in bed.
Het is nog steeds heet. Hij kan niet slapen.
Misschien zie ik Lena nooit meer, denkt hij.
Ik had haar adres moeten vragen.
Maar het ging ineens zo snel.
Hij wordt er verdrietig van.
Zou Lena nu ook in bed liggen?
Ze zal het ook wel heet hebben.
Zou ze ook aan hem denken?
Stil staart hij in het donker.
En dan ineens schiet hij omhoog.
Mijn gameboy! Mijn gameboy ligt nog bij Lena in de auto!

3. Echt wel!

De volgende ochtend weet Lars het meteen.
De gameboy!
Papa en mama liggen nog in bed. De wekker is nog niet afgegaan.
Lars staart naar het plafond.
Het was een dure gameboy.
Papa en mama waren blij toen ze die aan hem gaven.
'Wees er zuinig op, hoor!' zeiden ze.
'Niet mee naar school nemen! En niet in de zon leggen, dat is niet goed voor dat ding.'
En nu is hij hem kwijt!
Dat durft hij niet te zeggen, hoor!
Lars zucht diep.
Hij moet bijna huilen.
Wat een pech.

Op school let Lars niet op met rekenen.
En hij let niet op met zingen.
Hij kijkt uit het raam en denkt aan papa en mama. Hij heeft hun niet verteld dat hij zijn

gameboy bij Lena in de vrachtwagen heeft laten liggen.
Maar ineens hoort hij het woord 'schoolreisje'.
Hij gaat rechtop zitten en kijkt naar juf Roos.
'Nu is daar een tijdje terug een klein olifantje geboren. En dat willen we natuurlijk graag zien,' zegt juf Roos. 'En daarom gaan we met ons schoolreisje naar de dierentuin!'
Tom, die naast Lars zit, steekt zijn vinger op.
'Is dat die dierentuin met die grote speeltuin? Met al die netten van touw waar je in kunt klimmen?'
'Juist!' zegt juf. 'Die dierentuin is het.'
De kinderen juichen.
Lars vergeet zijn gameboy even. Blij kijkt hij naar Tom.
'We gaan morgen om acht uur. De bus blijft niet wachten. Dus zorg dat je op tijd bent. En neem brood mee en wat drinken. En niet te veel snoep!'
Alle kinderen praten door elkaar.
'Gaan wij naast elkaar zitten in de bus?' vraagt Lars aan Tom.
'Ja, natuurlijk,' zegt Tom. 'Ik neem weer spekkies mee. Neem jij dan weer drop mee?'
Ze lachen naar elkaar.

'Weet je nog van dat dropje, met het schoolreisje van vorig jaar?' vraagt Lars.
Tom knikt. 'Jij gooide ermee. En toen bleef hij aan de rug van meester Wim plakken!'
Lars proest van het lachen. 'En niemand durfde het tegen hem te zeggen!'
De juf loopt langs.
'Zo, jongens, hebben jullie er zin in?' vraagt ze.
'Ja juf, echt wel!' zegt Tom.

4. 'Ben jij nou helemaal betoeterd?'

De bus stopt op de grote parkeerplaats. Lars ziet al borden met plaatjes van dieren erop.
Hij stoot Tom aan. 'Kijk daar, die krokodil!'
De deuren van de bus gaan open. De kinderen dringen naar buiten.
'Niet duwen!' roept juf Roos. 'Heeft iedereen zijn rugzak? Geen jassen laten liggen in de bus?'
Lars pakt zijn rugzak stevig vast. Hij wil niet nog een keer ergens iets laten liggen. Net zoals de gameboy, denkt hij spijtig.
Hij voelt alweer een diepe zucht komen. En even bederft dat bijna alle plezier in het schoolreisje.
'Twee naast elkaar!' roept meester Wim.
De kinderen gaan in een rij staan.
'Lopen maar!'
Juf Roos loopt voorop. Lars en Tom kijken in het rond. Er staan nog meer bussen. En daarachter gewone auto's.
Er staat ook een stoffige vrachtwagen.
'Ik vind de tijgers het leukst,' zegt Tom. 'Ze

lijken net grote poezen. Ik zou ze wel willen aaien. Maar dat kan ik toch maar beter niet doen ... En wat vind jij de leukste dieren?'
'De gorilla's,' zegt Lars. 'Soms trommelen ze op hun borst, dat is lachen. En sterk dat ze zijn!'
'Hé, moet je zien!' Tom stoot Lars aan.
'Er is vast een beer ontsnapt!'
Lars snapt het niet.
Tom ziet het aan zijn gezicht.
'Kijk maar. Ze hebben een nieuw hek nodig!'
Hij wijst naar de stoffige vrachtwagen.
'SJAAK VAN BUREN – VOOR AL UW HEK-WERK – SCHIEDAM,' leest hij hardop voor.
Lars staat stil.
'Loop eens door!'
'Hé, wat doe je nou?'
Kinderen botsen tegen hem op. Tom trekt aan zijn arm.
'Wat is er? Waarom blijf je staan?'

Lars gelooft zijn ogen niet.
'Ik ...' stamelt hij. 'Daar staat ... Ik moet daar even kijken, Tom!'
Hij holt zomaar weg uit de rij naar de vrachtwagen.
Ja, het is de wagen van Lena's vader!

......

Daar hangt de kleine voetbal aan de spiegel.
En er ligt nog net zo veel rommel.
Lars gaat op zijn tenen staan. Hij kijkt op de bodem.
Daar, half onder de stoel, ziet hij een stukje groen!
Dat is zijn gameboy. Hij weet het zeker, want de gameboy van Lena is geel.
O, het is toch niet waar!
Zijn gameboy ligt recht voor zijn neus en hij kan hem niet pakken!
Lars probeert de autodeur open te maken.
Hij trekt zo hard hij kan.
Maar de deur zit natuurlijk op slot.
Dat had hij kunnen weten.
Ineens pakt iemand hem stevig bij zijn arm.
'Wat is er met jou aan de hand?' roept juf Roos.
'Waarom loop je zomaar weg? Ben jij nou helemaal betoeterd?'
'Ik ... mijn gameboy ...' stamelt Lars.
'Ik moet iets uit die wagen pakken!'
Juf Roos luistert niet eens naar hem.
Ze trekt hem mee, weg van de vrachtwagen.
'De hele klas staat al bij de kassa. Schiet op, joh, rennen!'
Meester Wim is net klaar bij de kassa.

'Hoera, we mogen naar binnen!' roept hij vrolijk. 'Op naar de leeuwen, de apen en de krokodillen. En pas op, anders bijten ze in je billen!' De kinderen lachen. Ze lopen achter hem aan door het molentje bij de ingang, en Lars wordt mee naar binnen geduwd.

5. Mafkees!

'Waar was je nou ineens?' vraagt Tom.
Hij geeft Lars een paar spekkies.
Ze staan bij de ijsberen.
Lars legt alles uit.
Tom luistert geduldig naar het verhaal.

'Je kon er toch niet bij,' zegt hij als Lars klaar is met vertellen. 'Auto's zitten altijd op slot. Maar er stond toch een mobiel nummer op die wagen? Dat had je op moeten schrijven.'
'Ik dacht er zo gauw niet aan,' zegt Lars beteuterd. 'En ik heb ook niks bij me om mee te schrijven.'
'Misschien komen we hem tegen,' bedenkt Tom.
'Wat? Mijn gameboy?' vraagt Lars.
'Nee, mafkees! Die man van die hekken,' roept Tom lachend. 'We kijken gewoon of we ergens een kapot hek zien. Dan is hij daar vast aan het werk.'
Ze zien het kleine olifantje, de tijgers en nog

veel meer. Maar geen kapot hek. En ook geen Sjaak die ergens aan het werk is.
Als ze een tijd door de dierentuin hebben gelopen, gaan ze naar de speeltuin.
Daar staat een hoge glijbaan.
Meester Wim gaat er hard vanaf. Dat kan, want hij is zo mager als een graat. Maar juf Roos blijft steken op de helft. Haar billen zijn te dik. Een paar meisjes uit de klas klimmen omhoog en glijden achter haar om haar omlaag te duwen.
Ze schreeuwen en roepen vrolijk naar elkaar.
Als ze even uit gaan rusten, deelt meester Wim ijsjes uit.
Daarna tikt Lars meester Wim met tikkertje en wint Tom een wedstrijdje 'wie het hoogst kan klimmen'.
Het is zo leuk, dat Lars zelfs even vergeet om aan Sjaak en zijn gameboy te denken.

6. 'Grrrrr ...'

'Heeft iedereen zijn eten op? Heeft iedereen wat gedronken? Hebben jullie geplast?' roept juf Roos.
'Jaaa!' roepen de kinderen.
'Dan gaan we nu naar de apen!'
De klas juicht. Ze gaan weer verder.
'Heb jij al je boterhammen al op?' vraagt Tom aan Lars.
'Ik heb er nog één met stroop.'
'Ruilen voor één met kaas?'
Lars vindt het best. Hij is gek op kaas. 'Straks, bij de apen, goed?' zegt hij. 'Want als we nu stilstaan, wordt juf Roos weer boos.'

In de verte zien ze hoge kooien. Ze horen het geschreeuw van de apen ook al.
'Ik ben hier een keer met mijn oma geweest. Toen zag ik een babyaapje,' vertelt Tom. 'Niet alle apen zitten in kooien, hoor. Er is ook een eiland waar apen zitten. Daar is water omheen.'
Lars ziet de eerste apen al heen en weer slingeren.

'Moet je die zien, op die autoband!' Lars wijst.
'Dat is een gorilla,' zegt Tom. 'Die is reuzesterk!'
Juf Roos staat stil en roept: 'Iedereen mag hier in een tweetal of in een groepje zelf even kijken. Wel bij de apen blijven! Over een halfuur blaas ik op mijn fluitje. Dan komen jullie meteen weer hier. Begrepen?'

'Als we zo gaan, komen we heel dicht bij de gorilla's.' Tom wijst naar een smal pad dat tussen de bosjes door loopt.
De jongens gaan het pad op. Het geschreeuw van de apen wordt luider.
'Straks staan we achter de kooi, wedden?' zegt Tom.
Maar aan het eind van het pad staat een bord: "GEEN TOEGANG. A.u.b. omlopen."
'A.u.b.? Wat is dat nou weer?' vraagt Tom.
'Dat betekent alstublieft,' zegt Lars. 'Dat heeft juf Roos pas nog verteld. Weet je dat niet meer?'
Tom schudt zijn hoofd. 'Nee,' zegt hij. 'Daar weet ik niks meer van.'
De jongens kijken langs het bord. Eén van de hekken is kapot. Het gaas is omgekruld. De

GEEN TOEGANG
a.u.b. omlopen

palen staan scheef.
'Zo! Stel je voor dat zo'n gorilla ontsnapt!' roept Tom.
Hij doet net alsof hij een gorilla is en grijpt Lars vast. 'Grrrrr!'
'Hé, niet doen. Tom! Hou op!'
Lars probeert Tom weg te duwen.
Tom laat hem los. 'Wat is er?'
'Dat hek, man! Dat hek daar is kapot!' roept Lars blij. 'Je weet toch nog wel wat dat betekent!'
Tom begint te lachen.
'Ja, dat weet ik nog wel!' zegt hij.
'Dat betekent dat jij en ik achter jouw gameboy aan gaan, jongen!'
Hij slaat Lars op zijn schouder.
Lars' hart bonkt. Stel je voor dat hij Sjaak toch nog vindt! En dat hij toch nog zijn gameboy terugkrijgt! Dan hoeft hij niks tegen papa en mama te zeggen.
Ze hoeven zelfs nooit te weten dat hij hem kwijt was.
Lars kijkt om zich heen. Hij ziet niemand. Heel in de verte hoort hij de stemmen van andere kinderen en de hoge stem van juf Roos.
Hij draait zich om naar Tom.

‘Kom op dan!’ fluistert hij.
Diep gebukt sluipen de jongens langs het bord het pad op.

7. 'Kom maar ...'

De jongens staan met hun neus tegen het hek.
In de kooi zit een gorilla. Een groot mannetje.
Hij steunt met zijn handen op de grond. Hij
ziet er vreselijk knorrig en oersterk uit.
In de verte, achter de gorilla, is Sjaak bezig in
een soort hok. Hij knipt gaas met een grote
tang. Een andere man zaagt een metalen stang
door. Het maakt ontzettend veel herrie.
'Sjaak!' schreeuwt Lars. 'Sjaak!'
Tom schreeuwt met hem mee. 'Sjáák!'
Sjaak kijkt niet op of om. Hij hoort niets.
Maar de gorilla hoort het geschreeuw wel.
Hij draait zijn kop en fronst zijn voorhoofd.
Langzaam begint hij naar het hek te lopen.
Lars doet een stapje terug.
Hij trekt Tom aan zijn T-shirt. 'Kom een beetje
naar achter, Tom. Hij ... hij kijkt zo kwaad.'
De gorilla blijft vlak bij Lars en Tom stilstaan.
Ze kunnen horen hoe diep hij ademt.
'Hij kijkt alsof hij ons wil wurgen,' fluistert Lars.
'Hij wordt vast gek van de herrie van die zaag,'

◎ ……

fluistert Tom terug.
De gorilla gaat zitten. Hij strekt een lange arm uit en steekt een vinger door het hek.
'Oei!' Lars en Tom gaan nog een stap verder achteruit.
Een poosje blijven ze naar de gorilla kijken.
Dan zegt Lars: 'Ik vind het zielig. Zou hij een boterham lusten?'
'Je mag de dieren niet voeren,' zegt Tom. 'En hij rukt vast je arm eraf als je hem een boterham geeft!'
Lars graait in zijn rugzak. Hij trekt zijn boterham met stroop eruit.
'Hé, die zou ik toch krijgen?' roept Tom.
Lars doet net alsof hij hem niet hoort.
'Hier, die is voor jou,' zegt hij zacht en aardig tegen de gorilla.
'Kom maar ...' En hij doet een klein stapje naar voren.
'Kijk maar uit, straks rukt hij je hoofd eraf!' waarschuwt Tom.
Lars durft zijn boterham niet door het gaas te duwen.
'Kun je vangen?' vraagt hij. Hij doet net alsof hij gooit.
De gorilla kijkt naar hem. Hij let goed op. Mis-

schien ruikt hij dat Lars iets lekkers heeft.
'Nou, daar komt hij, hoor.'
Lars gooit zijn boterham met een mooi boogje over het hek.
De gorilla laat het hek los.
Hij strekt zijn lange arm uit en vangt Lars' boterham met gemak op. Hij brengt hem voor zijn gezicht en ruikt de stroop.
In één hap is Lars' boterham weg.
'Jammer,' vindt Tom. 'Hij proeft hem niet eens!'
'Wedden van wel?' zegt Lars.
En dan krijgt hij een idee.
'Tom!'
'Wat?'
'Zou die gorilla ... Zou hij een briefje aan Sjaak kunnen geven? Wat denk jij?'

8. 'Grote jongen!'

'Ik denk dat je gek bent!' zegt Tom.
'We kunnen het toch proberen!' Lars kijkt zoekend in het rond. 'Heb jij iets om op te schrijven? En een pen?'
'Wacht ...' Tom kijkt ook rond. 'Misschien in die prullenbak!'
Hij komt terug met een papieren zakje. 'En ik heb wel ergens een stift.'
Tom vist een stift uit zijn rugzak. Lars gaat zitten met het zakje op zijn knie.
Er is niet veel plek om te schrijven.
"LARS" schrijft hij. En: "MIJN GAMEBOY NOG IN UW AUTO."
'Vergeet het nummer van jullie telefoon niet,' zegt Tom.
Lars kriebelt het nummer er snel bij.
'Als hij het maar kan lezen,' zegt hij bezorgd.
'Als die gorilla het maar aan Sjaak geeft, bedoel je,' zegt Tom.
'Aapje, aapje, kom nog eens bij het hek ...' lokt Lars met zijn liefste stem.

De gorilla denkt misschien dat hij nog meer brood krijgt. Hij steekt zijn hand weer uit.
Lars heeft het briefje stijf opgevouwen. Hij mikt het over het hek.
De gorilla vangt het nu ook weer met gemak op.
'Goed zo! Grote jongen!' zegt Lars.

De gorilla bekijkt het briefje. Hij voelt eraan. Hij ruikt eraan ...
En hij doet zijn mond wijd open!
'Nee, niet opvreten!' roept Lars.
Tom wijst. 'Aan die meneer geven!'
Begrijpt de gorilla het?
Hij geeuwt. Hij doet zijn mond weer dicht en kijkt om. De man is klaar met zagen. De herrie is gestopt.
'Ik denk dat hij het snapt!' fluistert Lars.
De gorilla loopt weg. Hij heeft het briefje nog in zijn hand.
'Sjaak! Hé, Sjaak!' probeert Lars weer.
Het lijkt alsof Sjaak hem nu wel hoort.
Hij kijkt om, recht in het gezicht van de gorilla.
Van schrik laat hij zijn tang vallen.
De jongens durven niet meer te roepen.
Ze houden hun adem in.

 ……

De gorilla staart naar Sjaak.
Sjaak staart naar de gorilla.
Ze bewegen zich niet.
Dan heft de gorilla zijn hand op. Hij mikt het briefje het hok in.
Plok, tegen het hoofd van Sjaak. Het valt voor zijn voeten op de grond.
De jongens juichen.
De gorilla loopt weg.
Sjaak hoort Lars en Tom. Hij kijkt. Hij kijkt nog beter.
Herkent hij Lars, zo vanuit de verte?
De jongens wijzen naar de grond.
'Een briefje!' schreeuwen ze.
Sjaak bukt zich. Hij raapt het op. Hij leest.
Lachend kijkt hij op.
De jongens zwaaien.
Hij zwaait terug. Langzaam knikt hij met zijn hoofd.
'Ik begrijp het' betekent dat.

9. Gorilla?

Na het eten gaat de telefoon. Lars vliegt erheen.
'Het is voor mij!' roept hij.
Papa en mama kijken elkaar verbaasd aan.
'Met Lars,' zegt Lars. 'Dag Sjaak!'
Zijn hoofd wordt rood.
Hij voelt dat papa en mama zitten te luisteren.
'Zondag?' herhaalt hij.
'Ik zal het even vragen, goed?'
Hij legt de telefoon neer.
'Mag Lena zondag komen, dan gaan we naar het zwembad?' vraagt hij. 'Sjaak brengt haar en hij haalt haar ook weer op.'
Papa staat op.
'Wil Sjaak haar het hele eind brengen uit Schiedam? Maar dan wil hij toch zeker zelf ook wel komen? Dan kaarten we een potje!
Geef mij de telefoon maar even.'
'Nee, ik eh ... ik moet nog,' stribbelt Lars tegen.
Maar papa pakt de telefoon gewoon uit zijn hand.

'Ha, die Sjaak!' roept hij.
En dan luistert hij een hele tijd. Lars kan horen dat hij er weinig van begrijpt.
'Gameboy?' herhaalt hij vragend. En: 'Dierentuin?'
Aan het eind van Sjaaks verhaal wordt hij bleek.
'Gorilla?' fluistert hij.
En hij kijkt verbaasd naar Lars.
'Gorilla?' herhaalt mama. Ze kijkt Lars vragend aan.
Lars krijgt een vuurrood hoofd. Beschaamd kijkt hij naar de vloer.
Papa hangt de telefoon op.
'Nou moe!' zegt hij. 'Ik geloof dat jij ons het een en ander moet uitleggen, Lars!'

Lars vertelt het hele verhaal. Papa en mama kunnen hun oren niet geloven.
'Hoe bestaat het!' roepen ze.
En: 'Dat is veel te veel toeval!'
En: 'Dat meen je toch zeker niet! Echt waar?'
Als Lars klaar is met vertellen, trekt papa hem op schoot.
'Je kunt het best tegen ons zeggen als er iets is,' zegt hij.
'Ook al worden we misschien even boos.'

'Ja,' zegt Lars zacht.
'O ja,' gaat papa verder. 'En ik heb aan Sjaak gevraagd of hij ook wil blijven eten met Lena. Vind je dat goed?'
Lars lacht. Hij springt van papa's schoot. Lena komt! Lena! Lena! Lieve Lena!
En ze neemt zijn gameboy mee!
Lars is zo blij dat hij er gek van moet doen.
'Waaah!' brult hij. 'Grrrrr!'
En hij trommelt op zijn borst als een gorilla.

In deze serie zijn verschenen:

Vinden ze ons dan niet schattig?

Honden in de nesten

Oude, trouwe Lobbes

China in zicht!

Meester Moppermans

Rumoerige nachten

Het meisje in de maan

Dirk Nielandt
Honden in de nesten
op weg

Rian Visser
Oude, trouwe Lobbes
op weg

Elisabeth Marain
Rumoerige nachten
extra

Peter Vervloed
Het meisje in de maan
extra